Cip ar y cymoedd
Ddoe a heddiw

Dewch am dro i rai o *gymoedd y de*.
Byddwn yn cael *cip* ar bethau diddorol:

- hanes a storïau
- gwaith, ddoe a heddiw
- chwaraeon a *gweithgareddau* hamdden

ac yn cwrdd â phobl arbennig.

> cymoedd – *valleys* (un. cwm g)
> y de – *the south*
> cip (g) – *a glimpse*
> gweithgareddau – *activities* (un. gweithgaredd g)

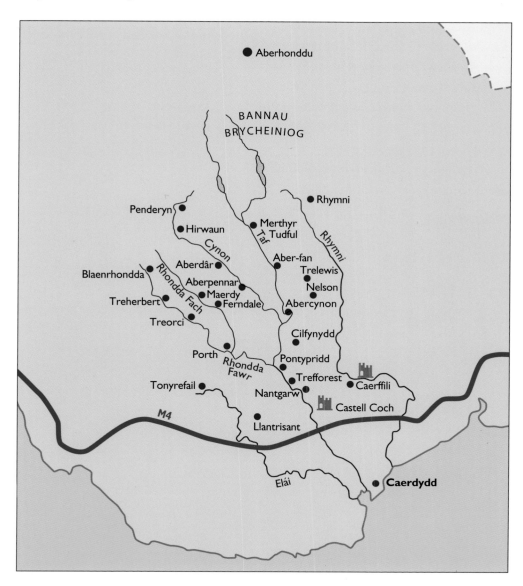

Y newid mawr

Doedd dim llawer o bobl yn byw yn y cymoedd yn 1750. *Ffermydd* a phentrefi bach oedd yma – a phawb yn siarad Cymraeg!

Ar ddechrau'r *19G* daeth y *Chwyldro Diwydiannol*. Roedd *galw* mawr am *haearn* a *glo*, a newidiodd y cymoedd yn gyflym iawn.

Agorodd *gweithfeydd* haearn mawr yn y cymoedd a llawer o *byllau glo*. *Erbyn* 1920 roedd *traean* o lo'r byd yn dod o *dde-ddwyrain* Cymru. Roedd *mwy na* 600 pwll glo a mwy na chwarter miliwn o ddynion yn gweithio yno.

Daeth pobl i weithio yn y cymoedd o *bobman* yng Nghymru – ac o Loegr, *Iwerddon* a *sawl gwlad arall*.

Wedyn daeth Saesneg *yn gryfach* na'r Gymraeg yn y cymoedd.

ffermydd – *farms* (un. fferm b)
19G = y bedwaredd ganrif ar bymtheg – *nineteenth century*
chwyldro (g) – *revolution*
diwydiannol – *industrial*
galw (g) – *demand*
haearn (g) – *iron*
glo (g) – *coal*
gweithfeydd – *works* (un. gwaith g)
pyllau glo – *coalmines* (un. pwll glo g)
erbyn – *by*
traean – *a third*
de-ddwyrain – *south-east*
mwy na – *more than*
pobman – *everywhere*
Iwerddon – *Ireland*
sawl gwlad arall – *many other countries*
cryfach – *stronger*

Pont hardd William Edwards ar draws afon Taf – lle mae Pontypridd heddiw – o lun gan Michael Rooker (1743 - 1801)

Adeilad modern Coleg Morgannwg yn Nantgarw ar bwys Pontypridd

Caeodd mwy na hanner y pyllau glo yn y 1930au ac yn Ionawr 2008 caeodd y pwll *dwfn* olaf, Pwll y Tŵr. Mae'r pyllau glo a'r hen Institiwts wedi mynd. Nawr mae ystadau diwydiannol a chanolfannau chwaraeon a hamdden yma. Mae'r afonydd yn *lân* unwaith eto, ac mae llawer o bethau yma i *ymwelwyr* – parciau, *amgueddfeydd* a llefydd i fwyta.

Mae llawer o bobl yn teithio allan o'r cymoedd bob dydd i weithio mewn ystadau diwydiannol neu yng Nghaerdydd. Ond mae llawer o *fywyd* yma hefyd – chwaraeon a *chymdeithasau o bob math*, a chorau – llawer o gorau! Mae addysg yn bwysig yn y cymoedd; mae Prifysgol Morgannwg yn enwog, ac mae llawer o ganolfannau gan Goleg Morgannwg.

Mae chwyldro *gwahanol* yn y cymoedd erbyn hyn – ysgolion Gymraeg. Mae *mwy a mwy* o rieni eisiau anfon eu plant i ysgolion Cymraeg.

Mae llawer o bapurau bro yn y cymoedd. Dych chi'n gallu darllen newyddion lleol yn Gymraeg.

---

caeodd < cau – *to shut*
dwfn – *deep*
ystadau diwydiannol – *industrial estates*
(un. ystad ddiwydiannol b)
glân – *clean*
ymwelwyr – *visitors* (un. ymwelydd g)
amgueddfeydd – *museums* (un. amgueddfa b)
bywyd (g) – *life*
cymdeithasau – *societies* (un. cymdeithas b)
o bob math – *of all kinds*
gwahanol – *different*
mwy a mwy – *more and more*

Dyffryn Taf: Merthyr Tudful

Erbyn 1851 Merthyr Tudful oedd y dre *fwya* yng Nghymru. Roedd 46,000 o bobl yn byw yno. Tre haearn oedd Merthyr – tre'r *ffwrneisi*. Roedd 18 ffwrnais yma *ar un adeg*! Roedd Merthyr yn arfer gwneud *mwy o* haearn *nag unrhyw* dre arall yn y byd. Roedd *gwragedd* a phlant yn gweithio yno hefyd. Roedd y tai'n fach, roedd bywyd yn galed, ac roedd y gweithwyr yn ennill arian bach iawn.

Yn 1831 roedd *terfysg* yma a daeth *milwyr* i'r dre. Arestiodd yr heddlu Richard Lewis (Dic Penderyn) am *drywanu* un o'r milwyr. Cafodd Dic Penderyn ei *grogi* yng Nghaerdydd. Daeth Dic yn *arwr* y bobl *gyffredin*.

Gwaith Haearn Dowlais gan George Childs

mwya – *biggest* (< mawr)
ffwrneisi – *furnesses* (un. ffwrnais b)
ar un adeg – *at one time*
mwy – *more* (< mawr)
nag unrhyw – *than any*
gwragedd – *women* (un. gwraig b)
terfysg (g) – *riot*
milwyr – *soldiers* (un. milwr g)
trywanu – *to stab*
crogi – *to hang*
arwr (g) – *hero*
cyffredin – *common, ordinary*

Castell Cyfarthfa

Un o'r gweithfeydd haearn oedd Cyfarthfa. Teulu'r Crawshay oedd *yn berchen ar* hwn.

Ar bwys Merthyr, mae Castell Cyfarthfa. *Cododd* William Crawshay II y castell ym 1825.

Nawr mae amgueddfa yn y castell. Mae'r amgueddfa'n dweud stori'r dre. Hefyd mae *casgliad celf* yma. Mae parc o gwmpas y castell. Yn y parc mae cyrtiau tennis, *llain fowlio*, llyn a chaffi. Weithiau mae drama ar y *llwyfan* ar bwys y llyn.

yn berchen ar – *to own*
cododd < codi – *to build, erect*
casgliad celf (g) – *art collection*
llain fowlio (b) – *bowling green*
llwyfan (g) – *stage*

Siawns am sgwrs?

Dych chi wedi gweld pethau'n newid yn eich ardal chi?

Dych chi'n mynd am dro i Gastell Cyfarthfa. Beth dych chi'n mynd i wneud yno?

Mae llawer o *enwogion* yn dod o Ferthyr.

- Roedd Howard Winstone a Johnny Owen yn *bencampwyr* bocsio'r byd, ac Eddie Thomas yn focsiwr a *hyfforddwr* byd-enwog. Yn y dre mae *cerflun* o *bob un* o'r tri.

- Hanner milltir o Ferthyr mae tŷ'r *cerddor* Joseph Parry. Yn y tŷ mae amgueddfa fach iawn yn dweud stori ei fywyd. Ysgrifennodd e'r gân, 'Myfanwy'.

- Owen Money – *darlledwr* ar y teledu a'r radio.

- Aeth Julien MacDonald i Ysgol Uwchradd Cyfarthfa. Mae e'n *cynllunio dillad* i Givenchy a Chanel. Mae e wedi gwneud dillad i Kylie Minogue.

- Roedd Laura Ashley yn dod o Ddowlais. Mae plac ar 31 Station Terrace.

- Roedd Keir Hardie yn *Aelod Seneddol* ym Merthyr yn 1900.

- Yn 1804 ym Mhenydarren, gwnaeth Richard Trevithick drên stêm cyntaf y byd i gario haearn a glo ar *gledrau*.

- *Arlunydd* o Ferthyr oedd tad-cu Rolf Harris.

Cerflun o Johnny Owen

enwogion – *famous people*
pencampwyr – *champions* (un. pencampwr g)
hyfforddwr (g) – *trainer*
cerflun (g) – *sculpture*
pob un – *each one*
cerddor (g) – *musician*
darlledwr (g) – *broadcaster*
cynllunio – *to design*
dillad – *clothes* (un. dilledyn g)
Aelod Seneddol – *Member of Parliament*
cledrau – *rails* (un. cledren b)
arlunydd (g) – *artist*

Siawns am sgwrs?

Mae un o'r bobl yma'n dod i Sadwrn Siarad! Beth dych chi'n mynd i ofyn?

Canolfan Merthyr

Mae Canolfan a *Menter* Gymraeg Merthyr Tudful yn Soar, Pontmorlais, Merthyr. Yn y Ganolfan mae siop lyfrau, dosbarthiadau a chlybiau. Mae siaradwyr a dysgwyr Cymraeg *ardal* Merthyr yn dod i'r Ganolfan. Mae'r Ganolfan yn trefnu llawer o weithgareddau i oedolion, plant a phobl ifanc. Mae grŵp drama yma o'r enw Ffwrnais – i gofio hanes y dre.

Mae Phylyp Griffiths yn gweithio yn y Ganolfan. *Rheolwr* Siop y Ganolfan yw e.

" *O ble dych chi'n dod yn wreiddiol?*
Dw i'n dod o Droedyrhiw ar bwys Merthyr Tudful.

Ers pryd dych chi'n gweithio yn y Ganolfan?
Dw i'n gweithio yma ers Dydd Gŵyl Dewi 2005. Dw i'n hoffi gweithio yma achos dw i'n cwrdd â phobl newydd drwy'r amser.

Sut le yw Merthyr heddiw?
Mae Merthyr wedi newid llawer ers y chwyldro diwydiannol, ond mae bywyd cymdeithasol prysur yma, ac mae'r bobl yn *dwymgalon* iawn. "

Dyma *gytgan* Cân y Fenter gan Euros Jones ac Ian Saunders i *ddathlu lansio* Menter Gymraeg Merthyr Tudful yn Ionawr 2004:

Mae fflam yn nhref y ffwrnais,
Mae *angerdd* yn ein cân.
O *ludw* oer Cyfarthfa,
Edrychwn ni ymlaen.
Ni yw *gobaith* Merthyr,
Mae *mentro* yn ein gwaed.
Dyfodol yn y cymoedd,
Cymraeg sydd *ar ei thraed.*

Plant Blwyddyn 6 Ysgol Rhyd y Grug ac Ysgol Santes Tudful yn canu Cân y Fenter yn y lansiad

menter (b) – *venture*
ardal (b) – *district*
rheolwr (g) – *manager*
twymgalon – *warm hearted*
cytgan (g) – *chorus*
dathlu – *to celebrate*
lansio – *to launch*

angerdd (g) – *passion*
lludw (g) – *ash*
edrychwn ni ymlaen – *we look to the future*
gobaith (g) – *hope*
mentro – *to venture*
dyfodol (g) – *future*
ar ei thraed – *on its feet*

Canolfan Ddringo a Gweithgaredd Ryngwladol Cymru

Yn Nhrelewis mae canolfan *ddringo* dan do. Mae'r ganolfan ar agor saith diwrnod yr wythnos, trwy'r flwyddyn. Mae un o waliau dringo mwya Ewrop yn y Ganolfan.

Mae'r Ganolfan hefyd yn gallu trefnu:
* canŵio
* *marchogaeth*
* beicio mynydd
* beicio quad
* peli paent
* gwneud rafftiau
* *hwylfyrddio*

Ac os dych chi'n meddwl am *briodi*, dych chi'n gallu cael seremoni sifil yno.

Un o'r bobl sy wedi dysgu dringo yn y Ganolfan yw Clare Woods.

❝ *Pam dechreuoch chi ddringo?*
Ro'n i eisiau sialens newydd.

Beth dych chi'n hoffi am y Ganolfan?
Mae dewis da o waliau dringo – rhai'n hawdd, rhai'n anodd.

Beth dych chi'n feddwl o'r lleoliad?
Mae'r ardal yn bert ac mae'n braf gwneud rhai o'r gweithgareddau *awyr agored*. Hefyd mae'r Ganolfan yng nghanol y cymoedd. Dych chi'n gallu cyrraedd ar fws neu drên. Does dim lle *tebyg*. **❞**

dringo	*to climb*
marchogaeth	*to ride*
hwylfyrddio	*sailboarding*
priodi	*to marry*
ro'n i eisiau	*I wanted*
lleoliad (g)	*location*
awyr agored	*open air*
tebyg	*like, similar*

Siawns am sgwrs?

Pa rai o weithgareddau'r Ganolfan dych chi wedi gwneud?

Pa rai dych chi eisiau gwneud?

Cwm Cynon: Penderyn

Roedd *chwarel carreg galch* yn ardal Penderyn. Roedd y calch yn mynd i'r gweithfeydd haearn yn Hirwaun a Llwydcoed.

Ers 2004 mae *distyllfa* wisgi ym Mhenderyn. Dyma'r *unig* ddistyllfa wisgi yng Nghymru. Dych chi'n gallu mynd *ar daith o gwmpas* y ddistyllfa i weld sut maen nhw'n gwneud Wisgi Penderyn a *diodydd eraill*.

chwarel (b) – *quarry*
carreg galch – *limestone*
ers – *since*
distyllfa (b) – *distillery*
yr unig – *the only*
ar daith – *on a tour*
o gwmpas – *around*
diodydd eraill – *other drinks* (un. diod arall b)

THE WELSH WHISKY COMPANY
168
PENDERYN
2006

Glofa'r Tŵr

Goitre oedd enw Glofa'r Tŵr yn wreiddiol. Newidiodd yr enw ar ôl i'r teulu Crawshay adeiladu tŵr yn yr ardal. Yn y 1990au roedd y Bwrdd Glo eisiau cau Glofa'r Tŵr. Dechreuodd y glowyr gwmni *cydweithredol*. Talodd 239 *ohonyn nhw* £8,000 *yr un* i ddechrau'r cwmni. Tyrone O'Sullivan oedd *Cadeirydd* y Cwmni. *Llwyddodd* y cwmni ac yn 1995 gwerthon nhw 460,000 tunnell o lo – ym Mhrydain, Iwerddon, ac yn Ewrop.

Ysgrifennodd y *cyfansoddwr* enwog, *y diweddar* Alun Hoddinott, opera i ddathlu'r stori. Dechreuodd yr opera yn Theatr y Grand, Abertawe, ym mis Hydref 1999, cyn mynd ar daith i'r Coliseum yn Aberdâr a nifer o theatrau eraill o gwmpas Cymru.

Erbyn 2008 doedd y pwll ddim yn *economaidd*. Caeodd e ar 25 Ionawr 2008 gyda *gorymdaith* gan y glowyr a'u teuluoedd i ddathlu 13 o flynyddoedd o *lwyddiant*. Cerddon nhw o'r pwll i'r clwb ym Mhenywaun. Yn y clwb yna penderfynon nhw brynu'r pwll yn 1994.

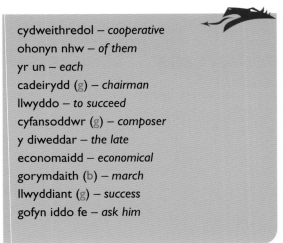

cydweithredol – *cooperative*
ohonyn nhw – *of them*
yr un – *each*
cadeirydd (g) – *chairman*
llwyddo – *to succeed*
cyfansoddwr (g) – *composer*
y diweddar – *the late*
economaidd – *economical*
gorymdaith (b) – *march*
llwyddiant (g) – *success*
gofyn iddo fe – *ask him*

Siawns am sgwrs?

Dych chi wedi bod mewn distyllfa wisgi yn rhywle?

Oes rhywun yn eich teulu chi wedi gweithio mewn pwll glo?

Mae Tyrone O'Sullivan yn dod i gael swper gyda chi. Beth dych chi'n mynd i *ofyn iddo fe*?

Aberdâr

Yr olygfa o hen safle *Pwll Powell* –
yn edrych tuag at Aberdâr (ar y chwith)

Tre fwya Cwm Cynon yw Aberdâr. Tyfodd y dre ar ddechrau'r 19G achos roedd tri gwaith haearn yn yr ardal, a llawer o byllau glo.

Rhwng 1936 a 1959 *daeth* y gwaith glo i gyd *i ben*, ac yn 1973 agorodd Parc Gwledig Cwmdâr – ar hen safle Pwll Powell! Yn y Parc mae *Canolfan Etifeddiaeth* sy'n dweud hanes byd natur y cwm. Mae lle yma i aros, a hefyd mae canolfan merlota i'r anabl.

Yn Aberdâr roedd yr Eisteddfod *Genedlaethol* gyntaf – yn 1861. Daeth yr Eisteddfod nôl i Aberdâr yn 1885 a 1956. Roedd y *bardd* Gwilym R. Tilsley yn byw yn Aberdâr yn y 1950au. Yn 1950 roedd yr Eisteddfod Genedlaethol yng Nghaerffili. Enillodd Tilsley y Gadair gyda'r *gerdd* 'Y Glöwr'.

Ers 1938 mae'r Coliseum yn ganolfan bwysig yn y dre. Mae theatr a sinema yma.

Mae sioeau proffesiynol yn dod yma. Hefyd, mae grwpiau lleol – Colstars (oedolion) a Showcase (plant) – yn perfformio *sioeau cerdd* yma.

safle (g) – *site*
dod i ben – *to come to an end*
Canolfan Etifeddiaeth (b) – *Inheritance Centre*
aros – *to stay*
merlota – *pony riding*
anabl – *disabled*
cenedlaethol – *national*
bardd (g) – *poet*
cerdd (b) – *poem*
sioeau cerdd (b) – *musicals (un. sioe gerdd b)*

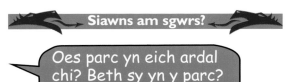

Siawns am sgwrs?

Oes parc yn eich ardal chi? Beth sy yn y parc?

Aberpennar

Yn sgwâr Aberpennar mae cerflun o Guto Nyth Brân.

Roedd Guto'n rhedwr da iawn. Roedd e'n gallu ennill ras yn erbyn ceffyl. Yn 1737 enillodd e ras yn erbyn Sais o'r enw Prince. Rhedon nhw o *Gasnewydd* i eglwys Bedwas (19 km) mewn 53 munud. Roedd llawer o bobl wedi betio ar y ras. Daeth merch a bwrw Guto ar ei gefn a dweud 'Da iawn, Guto'. Syrthiodd e i lawr a *marw*. Mae *bedd* Guto yn Llanwynno ar bwys Ynys-y-bŵl.

Bob blwyddyn maen nhw'n *cynnal* Rasys *Nos Galan* yn Abepennar i gofio am Guto. Ar y noson mae '*rhedwr dirgel*' (mae ei enw'n *gyfrinach* tan y noson), yn gosod *torch* ar fedd Guto ac yna'n rhedeg dros y mynydd i Aberpennar, gydag athletwyr lleol, yn cario *ffagl*.

Yn y dre mae e'n cynnau ffagl fawr – Ffagl Nos Galan – i ddechrau rasys yr oedolion.

Yn 2007, y rhedwr dirgel oedd Kevin Morgan o Bontypridd, cyn-ddisgybl yn Ysgol Gyfun Rhydfelen. Mae Kevin yn chwarae rygbi dros Ddreigiau Gwent, ac mae e wedi chwarae *sawl gwaith* dros Gymru.

> **Sut oeddech chi'n teimlo pan ddaeth y gwahoddiad i fod yn rhedwr dirgel?**
> Ro'n i'n hapus iawn gyda'r gwahoddiad, *yn enwedig* o edrych ar y rhedwyr enwog fel Neil Jenkins, Iwan Thomas a Jamie Baulch sy wedi rhedeg y ras o'r blaen.
>
> **Sut brofiad oedd rhedeg dros y mynydd?**
> Roedd e'n bleser. Y peth bydda i'n ei gofio *fwya* am y dydd yw'r *gefnogaeth* ges i gan y bobl leol wrth redeg dros y mynydd a lawr i'r dre.

Aberpennar	*Mountain Ash*
Casnewydd	*Newport*
marw	*to die*
bedd (g)	*grave*
cynnal	*to hold*
Nos Galan	*New Year's Eve*
rhedwr dirgel (g)	*mystery runner*
cyfrinach (b)	*secret*
torch (b)	*wreath*
ffagl (b)	*torch*
Dreigiau Gwent	*Gwent Dragons*
sawl gwaith	*several times*
gwahoddiad (g)	*invitation*
yn enwedig	*especially*
profiad (g)	*experience*
fwya	*mostly*
cefnogaeth (b)	*encouragement*

Kevin Morgan yn cynnau'r dorch fawr

Cwm Rhondda Fawr: Treorci

Treorci yw'r dre fwya yn y cwm – *prifddinas* y cwm, maen nhw'n dweud! Yn yr hen amser roedd hi'n bwysig achos y pyllau glo ond *erbyn hyn* does dim llawer o waith yma i'r bobl. Roedd ffatri ddillad yma ers 1939 ond caeodd y ffatri yn 2007.

Dyma gartef Côr Meibion Treorci. Dechreuodd y Côr yn 1883. Erbyn hyn maen nhw wedi recordio mwy na 50 o ddisgiau. Maen nhw'n canu popeth – o Wagner a Verdi i waith John Lennon a Bob Marley.

Mae band enwog yn y dre hefyd – Band y Parc a'r Dâr. Dechreuodd y band yn 1893. Mae'r band wedi ennill llawer o *wobrau*. Maen nhw wedi bod ar y radio dros 250 o weithiau. Maen nhw wedi perfformio yn Neuadd Dewi Sant, Stadiwm y Mileniwm, a neuaddau Royal Festival a

Royal Albert yn Llundain. Bob blwyddyn maen nhw'n trefnu *gŵyl bandiau pres* yn Neuadd y Parc a'r Dâr yn Nhreorci.

prifddinas – *capital city*
erbyn hyn – *by now*
gwobrau – *prizes, awards* (un. gwobr b)
gŵyl bandiau pres (b) – *brass band festival*

Treorci a'r Pentre

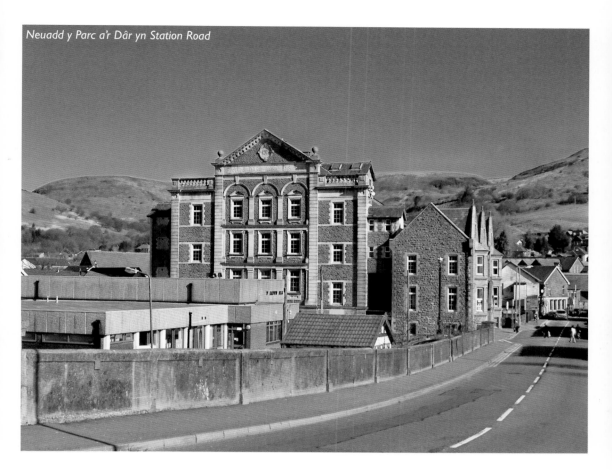

Neuadd y Parc a'r Dâr yn Station Road

Cododd y glowyr yr arian i adeiladu'r neuadd. Dych chi'n gallu gweld dramâu, *cyngherddau* a ffilmiau yma – a chwarae biliards!

Yn Neuadd y Parc a'r Dâr hefyd mae *arddangosfa* am Paul Robeson. Canwr bas-bariton Americanaidd oedd e. Daeth e i'r Rhondda yn 1940 i ffilmio *The Proud Valley.*

Daeth yr Eisteddfod Genedlaethol i Dreorci yn 1928. Mae'n bosib gweld *Meini'r Orsedd* yn y parc yn Heol Bwlch y Clawdd. Yn 1928 roedd tua hanner pobl y Rhondda yn gallu siarad Cymraeg.

Roedd Donald Davies (1924-2000) yn dod o Dreorci. *Gwyddonydd* oedd e. Gweithiodd e gyda Alan Turing i *ddatblygu* cyfrifiaduron. Roedd y gwaith yn bwysig i ddatblygiad y *rhyngrwyd*.

cyngherddau – *concerts* (un. cyngerdd g/b)
arddangosfa (b) – *exhibition*
Meini'r Orsedd – *Gorsedd Stones*
gwyddonydd (g) – *scientist*
datblygu – *to develop*
y rhyngrwyd – *the internet*

Siawns am sgwrs?

Dych chi wedi canu mewn côr neu ganu offeryn?

Dych chi'n defnyddio'r rhyngrwyd?

Y Porth

Yn y Porth mae'r Rhondda Fach yn *ymuno â*'r Rhondda Fawr. Dechreuodd teuluoedd o'r *Eidal* ddod i'r cymoedd yn y 1890au. Agoron nhw lawer o gaffis. Roedd llawer o'r teuluoedd yn dod o'r un ardal yn yr Eidal – ardal Bardi. Angelo Bracchi oedd un o'r Eidalwyr ac roedd pobl yn defnyddio'r gair Bracchi i siarad am bob caffi! Erbyn y 1920au roedd caffi ym mhob pentre, *bron*. Caffi'r teulu Bacchetta oedd yn y Porth.

Roedd pobl yn mynd i'r caffis i yfed coffi a diodydd *meddal* ond roedd yr Eidalwyr hefyd yn gwneud hufen iâ da iawn. Roedd y *rysáit* yn gyfrinach. Mae llawer o'r caffis ar agor *o hyd* ac mae rhai wedi aros yn yr un teulu.

Mae'r Ffatri Bop yn y Porth. Roedd y ffatri'n arfer gwneud pop i gwmni Corona. Nawr, mae stiwdio pop yno! Hefyd, maen nhw'n recordio rhaglenni teledu yn y stiwdio. Maen nhw wedi *cynhyrchu*'r rhaglenni *Jonathan, Popty, Cable TV, The Guest List*, a *Dechrau Canu, Dechrau Canmol (Songs of Praise* Cymraeg).

ymuno â	– to join
yr Eidal	– Italy
bron	– almost
meddal	– soft
rysáit (b)	– recipe
o hyd	– still
cynhyrchu	– to produce

Siawns am sgwrs?

Oes caffi Eidalaidd yn eich ardal chi? Dych chi'n gwybod ei hanes?

Dych chi'n nabod y bobl yn y llun?

Cwm Rhondda Fach

Ym *mlaen y cwm* mae tre fach Maerdy – ac roedd pwll glo yma, wrth gwrs! Yn y 1950au roedd pobl yn *galw*'r lle 'Little Moscow' – achos roedd llawer o'r bobl leol yn *cefnogi*'r Blaid Gomiwnyddol.

Roedd yr actor Stanley Baker yn dod o Ferndale. Roedd e'n enwog am actio mewn ffilmiau fel *Zulu*, *The Guns of Navarone* a *The Cruel Sea*. Yng Nghlwb Rygbi Ferndale, mae lolfa i gofio Stanley Baker – The Sir Stanley Baker Lounge.

Yn Ferndale nawr mae:
- parc *bwrddsglefrio*
- clybiau rygbi, pêl-droed a chriced
- Côr Pendyrus a Chôr Meibion Morlais
- y Ffatri Gelfyddydau.

Yn 1990 caeodd capel Tre-rhondda a dechreuodd y bobl leol Ffatri Gelfyddydau i *greu* gwaith a *chyfleoedd* i bawb. Mae llawer o bethau i'w gwneud yn y Ffatri: dosbarthiadau i oedolion, gwersi sut i ddefnyddio cyfrifiadur, grwpiau drama a sgiliau perfformio. Hefyd mae stiwdio *dylunio* graffeg a chwmni dylunio *amgylcheddol*. Dych chi'n gallu dysgu sut i ddylunio gardd neu wneud gwaith pren.

> blaen y cwm (g) – *head of the valley*
> galw – *to call*
> cefnogi – *to support*
> bwrddsglefrio – *skateboarding*
> creu – *to create*
> cyfleoedd – *opportunities* (un. cyfle g)
> dylunio – *to design*
> amgylcheddol – *environmental*
> cadw'n heini (g) – *to keep fit*

Tylorstown

Bocsiwr oedd Jimmy Wilde (1892-1969). Roedd e'n dod o Tylorstown. Roedd e'n pwyso llai na 8 stôn. Yn 1916 enillodd e Bencampwriaeth y Byd.

Yn Tylorstown mae Canolfan Hamdden Rhondda Fach. Mae tîm pêl-fasged merched enwog yn ymarfer yn y ganolfan. Rhondda Rebels yw enw'r tîm. Maen nhw wedi ennill llawer o wobrau.

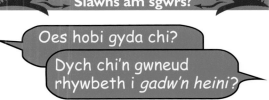

Siawns am sgwrs?

Oes hobi gyda chi?

Dych chi'n gwneud rhywbeth i *gadw'n heini*?

Dyffryn Taf eto: Pontypridd

Mae'r enw Pontypridd yn dod o 'Pont y tŷ pridd', *efallai*. William Edwards wnaeth y bont gyntaf yn 1750.

Daeth Pontypridd yn bwysig achos yr *holl drafnidiaeth* o gymoedd y Rhondda a Dyffryn Taf oedd yn mynd drwy'r lle. Maen nhw'n galw Pontypridd yn 'Gateway to the Valleys'.

Mae *marchnad* Pontypridd yn enwog. Mae marchnad yn y stryd bob dydd Mercher a dydd Sadwrn. Hefyd mae marchnad *dan do* – yma mae Siop Lyfrau Gymraeg, Siop y Bont. Mae llawer o bobl yn dod *o bell* i siopa yma i *chwilio am* fargen!

Hen Wlad Fy Nhadau

Dych chi wedi canu Hen Wlad Fy Nhadau? Evan James a James James, tad a mab o Bontypridd, ysgrifennodd yr anthem yn 1856. Mae cerflun ohonyn nhw ym Mharc Ynysangharad ar bwys y dre.

efallai – *perhaps*
holl drafnidiaeth – *all the traffic*
marchnad (b) – *market*
dan do – *in-door*
o bell – *from afar*
chwilio am – *to look for*

Clwb y Bont

Clwb *cymdeithasol* Cymraeg yw Clwb y Bont. Agorodd y clwb yn 1983 er mwyn rhoi *cyfle* i siaradwyr Cymraeg yr ardal *gwrdd*. Erbyn heddiw, mae'n glwb prysur iawn. Mae'r clwb yn cynnal gwersi Cymraeg a dych chi'n gallu *llogi* ystafell gyfarfod yno. Hefyd mae llawer o fandiau yn chwarae yno ar benwythnosau.

Rygbi

Ers 1974 mae cartref clwb rygbi Pontypridd yn Heol Sardis. Dechreuodd y clwb yn 1876 a chwaraeodd un o chwaraewyr y clwb yn nhîm *rhyngwladol* cyntaf Cymru yn 1881. Mae'r tîm wedi ennill llawer o *gystadlaethau*. Yn 2006 *curon* nhw Gwm-nedd i ennill Cwpan Sialens Cymru yn Stadiwm y Mileniwm. Mae llawer o gyn-chwaraewyr y clwb wedi mynd ymlaen i chwarae dros Gymru.

NEIL JENKINS MBE

Byd y Groggs

Ers 1965 mae John Hughes wedi bod yn gwneud cerfluniau o bobl enwog. Dechreuodd e mewn sied yn yr ardd ond symudodd e i hen dafarn yn nhre Pontypridd. Nawr mae Byd y Groggs yn enwog *drwy'r byd*. Mae pobl yn casglu Groggs o'u *hoff sêr*. Dych chi'n gallu *archebu* Grogg o *unrhyw un* – yn arbennig i chi!

Twtio gwallt Byn Terfel fel Falstaff

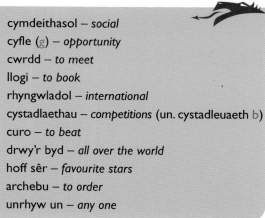

cymdeithasol – *social*
cyfle (g) – *opportunity*
cwrdd – *to meet*
llogi – *to book*
rhyngwladol – *international*
cystadlaethau – *competitions* (un. cystadleuaeth b)
curo – *to beat*
drwy'r byd – *all over the world*
hoff sêr – *favourite stars*
archebu – *to order*
unrhyw un – *any one*

Parti Ponty

Bob blwyddyn mae Menter Iaith Rhondda Cynon Taf yn trefnu Parti Ponty ym Mharc Ynysangharad ym Mhontypridd. *Diwrnod o hwyl* yw'r parti. Mae stondinau a chwaraeon yno i'r plant, a llawer o *gerddoriaeth*.

Roedd Steffan Webb *yn arfer gweithio* i'r Fenter. Helpodd e ddechrau Parti Ponty.

" Sut dechreuodd Parti Ponty?
Dechreuodd e gyda *gŵyl flynyddol* i godi proffil yr iaith yn *yr ardal*. 'Raligamps' oedd enw'r Ŵyl. *Wedyn* dechreuodd Radio Cymru a phartneriaid eraill weithio gyda'r Fenter a *datblygodd*

Parti Ponty i fod yn *ddathliad* o addysg Gymraeg a'r Gymraeg mewn addysg.

Pwy sy'n perfformio ar y llwyfan?
Bandiau lleol a phlant. Mae plant yr ysgolion Saesneg a'r ysgolion Cymraeg yn perfformio. Bob blwyddyn mae'r plant yn gweithio *gyda'i gilydd* i *ffurfio* Côr Parti Ponty ac maen nhw'n recordio CD.

Oes gŵyl arall fel Parti Ponty?
Ers llwyddiant Parti Ponty, mae Radio Cymru wedi gweithio gyda grwpiau lleol mewn *sawl lle arall*. Mae pob gŵyl yn *wahanol*, tipyn bach, achos mae'r *ardaloedd* yn wahanol. **"**

diwrnod o hwyl – *fun day*
cerddoriaeth (b) – *music*
yn arfer gweithio – *used to work*
gŵyl flynyddol (b) – *annual festival*
yr ardal (b) – *the area*
wedyn – *then / afterwards*
datblygu – *to develop*
dathliad (g) – *celebration*
gyda'i gilydd – *together*
ffurfio – *to form*
sawl lle arall – *many other places*
gwahanol – *different*
ardaloedd – *areas* (un. ardal b)

Siawns am sgwrs?

Oes parti yn y parc yn eich ardal chi?

Dych chi'n gallu canu'r anthem genedlaethol?

Dych chi'n gallu enwi cyn-chwaraewyr o Bontypridd sy wedi chwarae dros Gymru?

Sut ganu dych chi'n hoffi?

Mae rhai *cantorion* enwog wedi dod o'r ddau bentre yma ar bwys Pontypridd. O Gilfynydd mae Syr Geraint Evans a Stuart Burrows OBE yn dod. Roedd y ddau'n byw yn William Street!

Bariton oedd Syr Geraint Evans (1922-1992). Ymunodd e â chwmni opera Covent Garden yn 1948. Teithiodd e *o gwmpas y byd* yn canu. Falstaff oedd ei hoff rôl.

Tenor yw Stuart Burrows (geni 1933). Ar ôl gweithio fel athro, ymunodd e â Chwmni Opera Cenedlaethol Cymru yn 1963. Dechreuodd e ganu yn nhŷ opera Covent Garden yn 1967. 'Brenin gweithiau Mozart' yw e, *yn ôl* ei ffans.

Mae'r canwr Syr Thomas Jones Woodward, neu Tom Jones, yn dod o Drefforest yn wreiddiol. Yn 1965, 'It's Not Unusual' oedd cân gyntaf Tom Jones i fynd i rif 1 yn y siartiau. Wedyn recordiodd e lawer mwy o ganeuon llwyddiannus, *yn cynnwys* 'Green, Green Grass of Home' a 'Delilah'. Mae e, hefyd, wedi teithio'r byd.

Ym mis Mai 2005, daeth Tom Jones nôl i Gymru. Canodd e mewn parti mawr ym Mharc Ynysangharad i ddathlu ei ben-blwydd yn 65 oed.

cantorion – *singers* (un. cantor g/cantores b)
o gwmpas y byd – *around the world*
yn ôl – *according to*
yn cynnwys – *including*

Nantgarw

Rhwng 1911 a 1986 roedd *glofa* fawr yn Nantgarw.

Yn 1975 *unodd* y pwll gyda Glofa Windsor i wneud un lofa fawr. Roedd 650 o ddynion yn gweithio yno.

Heddiw mae Canolfan Amgueddfa Cymru ar y safle.

Mae Nantgarw hefyd yn enwog am *grochenwaith*. Roedd *crochendy* Nantgarw yn gwneud porslen artiffisial rhwng 1813 a 1822. Mae pobl yn casglu crochenwaith Nantgarw heddiw. Nawr mae amgueddfa fach yn y crochendy.

Dechreuodd Dawnswyr Nantgarw yn 1980. Eirlys Britton oedd yr *hyfforddwraig*. Rhieni ac athrawon Ysgol Gynradd Heol y Celyn oedd y dawnswyr gwreiddiol. Erbyn hyn mae'r grŵp yn *agored* i *bawb* sy eisiau dawnsio. Maen nhw wedi *dod â* dawnsio *gwerin* nôl i'r ardal. Maen nhw wedi ennill llawer o wobrau.

glofa (b) – *coalmine*
uno – *to join (link)*
crochenwaith (g) – *pottery (ware)*
crochendy (g) – *pottery (works)*
hyfforddwraig (b) – *coach, trainer*
agored – *open*
pawb – *everyone*
dod â – *to bring*
gwerin – *folk*

Dawnswyr Nantgarw yn difyrru'r dorf ym Mhortmeirion

Mae afon Elái yn dechrau ar bwys tre Tonyrefail. Mae hi tua 24 milltir o hyd.

Yn y 18G roedd *melin flawd* a ffatri *wlân* yma. Roedd llawer o grefftwyr eraill yma – crydd a gof. Ystyr 'efail' yn enw'r dre yw *smithy*.

O 1860 *ymlaen* roedd pyllau glo yn yr ardal, a ffwrneisi *golosg* hefyd. Roedd yr afon yn frwnt iawn wedyn.

Heddiw mae llawer o ddiwydiant newydd yn yr ardal – diwydiannau glân – ac mae'r afon yn lân unwaith eto, gyda llawer o bysgod.

Nawr mae melinau gwynt – 20 tyrbin mawr – ar ben mynydd Maendy. Dych chi'n gallu gweld y melinau o'r M4 ar bwys Penybont-ar-Ogwr! Roedd pobl yn protestio ar y dechrau – *pethau hyll*! Dych chi'n gallu mynd am dro drwy'r fferm wynt.

Mae'r *Bathdy Brenhinol* ar bwys Llantrisant ers 1968. Hefyd, yn yr un ardal, mae Ysbyty Frenhinol Morgannwg. Mae llawer o bobl yn gweithio yn y bathdy a'r ysbyty.

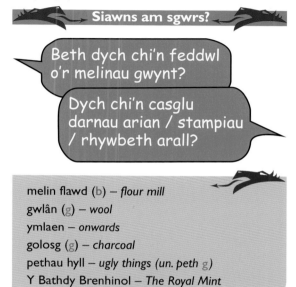

Siawns am sgwrs?

Beth dych chi'n feddwl o'r melinau gwynt?

Dych chi'n casglu darnau arian / stampiau / rhywbeth arall?

melin flawd (b) – *flour mill*
gwlân (g) – *wool*
ymlaen – *onwards*
golosg (g) – *charcoal*
pethau hyll – *ugly things* (un. peth g)
Y Bathdy Brenhinol – *The Royal Mint*

Fferm wynt Taf Elái, 2005

Llantrisant

Tre *brysur* yw Llantrisant. Y tri sant yn enw Llantrisant yw Illtyd, Tyfodwg a Gwynno. Dyna dri sant yr eglwys Normanaidd yn y dre.

Roedd Dr. William Price yn byw yn Llantrisant yn y 19G. Dyn *rhyfedd* oedd e. *Derwydd* oedd e ac roedd e'n gwisgo *croen llwynog* fel het.

Roedd Dr. Price yn dod o Rydri, ar bwys Caerffili. Aeth e i Lundain i *hyfforddi* fel meddyg. Daeth e nôl i Gymru ac aeth e i fyw ym Mhontypridd yn gynta ac wedyn yn Llantrisant.

Gwrthododd e *drin* pobl oedd yn smygu. Roedd e'n defnyddio *perlysiau* i drin *cleifion*. Roedd e'n credu mewn bwyd *llysieuol*, awyr iach, ymarfer corff a *chariad rhydd*. Roedd e'n *dadlau* gyda meddygon eraill.

Yn 1884 *bu farw* mab William Price. Iesu Grist oedd enw'r mab. Roedd Dr. Price eisiau *llosgi'r corff*. Roedd hynny yn erbyn y *gyfraith* ac roedd *achos llys*. Enillodd Dr. Price yr achos. Nawr mae llosgi corff yn *gyfreithlon*.

Bu farw Dr. William Price yn 1893 yn Llantrisant. Llosgodd y teulu'r corff ar ben dwy dunnell o lo, fel roedd e eisiau. Daeth tua 20,000 o bobl i Lantrisant i'r *angladd* a gwerthodd y teulu docynnau!

| prysur – *busy* |
| rhyfedd – *strange* |
| Derwydd – *Druid* |
| croen llwynog (g) – *fox skin* |
| hyfforddi – *to train* |
| gwrthod – *to refuse* |
| trin – *to treat* |
| perlysiau – *herbs* |
| cleifion – *patients* (un. claf g) |
| llysieuol – *vegetarian* |
| cariad rhydd (g) – *free love* |
| dadlau – *to argue* |
| bu farw – *died* |
| llosgi'r corff – *to cremate the body* |
| y gyfraith (b) – *the law* |
| achos llys (g) – *court case* |
| cyfreithlon – *legal, lawful* |
| angladd (g/b) – *funeral* |

Siawns am sgwrs?

Beth dych chi'n feddwl o Dr. William Price?

Y Tŷ Model

Lle diddorol yn Llantrisant yw Canolfan Gelf y Tŷ Model. Yn y ganolfan mae:

- siop grefftau
- stiwdios
- *oriel*
- *arddangosfa* hanes lleol
- arddangosfa hanes gwneud darnau arian.

Mae Stephanie yn gweithio yn y Tŷ Model.

Heol Las, Llantrisant c. 1900

“ *Beth oedd y Tŷ Model yn y gorffennol?*

Dros y blynyddoedd mae e wedi bod yn wyrcws, tafarn, *fferyllfa* a ffatri *fenig*. Prynodd y Cyngor y tŷ yn 1981.

Pryd agorodd yr oriel a'r stiwdios?
Agorodd y ganolfan grefftau a dylunio yn 1989.

Pam roedd eisiau canolfan grefftau yn y dre?
Roedd y ganolfan yn rhan o gynllun i *adfywio* Llantrisant. Gyda'r ganolfan yma, dyn ni'n ceisio *denu* busnesau eraill i'r hen dre. Hefyd mae gwaith i bobl leol yn y ganolfan.

Pwy sy'n dod i'r ganolfan?
Dyn ni'n cael tua 38,000 o ymwelwyr bob blwyddyn. Mae rhai yn dod o dramor. Mae llawer o'r rhain yn aros gyda ffrindiau neu deulu yn yr ardal. *Yn aml* maen nhw'n *olrhain* hanes y teulu.

Beth yw dyfodol y Tŷ Model?
Dyn ni eisiau denu *sefydliadau* sy ddim yn gwneud elw i logi ein hystafell gyfarfod newydd. Dyn ni eisiau *cynnig cyfnod preswyl* i artist newydd. Hefyd, dyn ni'n gobeithio datblygu *gweithdai* i'r henoed. **”**

oriel (b) – *gallery*
arddangosfa (b) – *exhibition*
fferyllfa (b) – *pharmacy*
menig – *gloves* (un. maneg b)
adfywio – *to regenerate*
denu – *to attract*
yn aml – *often*
olrhain – *to trace*
sefydliadau – *establishments* (un. sefydliad g)
cynnig – *to offer*
cyfnod preswyl (g) – *residential period*
gweithdai – *workshops* (un. gweithdy g)

Siawns am sgwrs?

Oes diddordeb gyda chi mewn crefftau?

Dych chi'n hoffi mynd i orielau?

Beth dych chi'n wybod am hanes eich ardal chi?

Gwinllan Llanerch

Ar ôl gadael Llantrisant mae afon Elái yn mynd i mewn i Fro Morgannwg, heibio i *Winllan* Llanerch, ac ymlaen i Gaerdydd.

Dyma winllan *fwya* Cymru. Mae 20 *erw o dir* yma ac maen nhw'n gwerthu gwin o'r enw Cariad. Dechreuodd y winllan yn 1986.

Dych chi'n gallu ymweld â'r winllan a *blasu'r* gwin! Maen nhw'n gwneud saith math o win yma. Beth am gael cinio yn y bwyty, neu fynd am dro a chael picnic yn y gerddi mawr ar bwys y llyn pysgod? Os dych chi eisiau gwyliau, beth am aros yma? Mae *bythynnod* ar rent a *llety* gwely a

brecwast. Hefyd dych chi'n gallu cael priodas, parti neu gyfarfod yma.

Dych chi'n hoffi coginio? Dewch i ddysgu mwy ar un o gyrsiau'r Ysgol Fwyd. Mae dewis mawr o gyrsiau am bob math o fwyd a diod.

gwinllan – *vineyard*
mwya – *biggest* (< mawr)
erw o dir – *acre of land*
blasu – *to taste*
bythynnod – *cottages* (un. bwthyn g)
llety (g) – *accommodation*

Blasu gwin a dysgu coginio yng Ngwinllan Llanerch

Ym mlaen y cwm mae tre Rhymni. Ar bwys y dre mae ystad fach o dai o'r enw Drenewydd (Butetown). Mae amgueddfa fach yno. Mae'r amgueddfa yn dweud stori bywyd y gweithwyr yn y 19G. Cododd Marquis Bute ystad Drenewydd yn 1802-3. Roedd e eisiau adeiladu cartrefi *iachus* i'r gweithwyr haearn.

Roedd pyllau glo yn arfer bod yma hefyd, ond ers y 1980au mae'r lle wedi newid. Nawr, rhwng Tredegar a Rhymni, mae Parc Bryn Bach. Mae'n *warchodfa natur* gyda llyn a sawl math o goed a *llwyni*.

Dych chi'n gallu aros mewn hostel yn y parc, neu *wersylla*, a gwneud cwrs mewn *cyfeiriadu*, *saethyddiaeth*, *caiacio*, ac adeiladu timau. Hefyd mae cwrs beicio BMX arbennig yma – yr unig un *o'i fath* yng Nghymru.

Yn 1838 agorodd Cwmni Haearn Rhymni *fragdy. Ro'n nhw eisiau* gwerthu cwrw i'r gweithwyr. Roedd y cwrw'n gwerthu'n dda! Tyfodd y bragdy dan yr enw Rhymney Breweries Ltd. Yn 1966 prynodd cwmni Whitbread y bragdy, ond yn 1977 fe gaeodd e.

Yn 1881 dechreuodd tafarnau yng Nghymru gau ar ddydd Sul. Roedd rhai

Hedfan *ar BMX*

tafarnau yn Rhymni yn Sir Fynwy. Roedd tafarnau Sir Fynwy, fel tafarnau yn Lloegr, ar agor ar ddydd Sul. Roedd llawer o ddynion o Ddowlais a Merthyr yn mynd i Rymni i yfed ar y Sul.

Tua 1880 roedd llawer o dimau rygbi yn Rhymni. Roedd enwau diddorol ar y timau – fel Salmon Tin Dribblers a Pig's Bladder Barbarians! Roedd un tîm yn chwarae o flaen y Farmer's Arms. Farmer's Lilies oedd enw'r tîm. Newidiodd yr enw i Rhymney Farmer's Lilies ac wedyn dim ond Rhymney.

iachus – *healthy*
gwarchodfa natur (b) – *nature reserve*
llwyni – *bushes* (un. llwyn g)
gwersylla – *to camp*
cyfeiriadau – *orienteeing*
saethyddiaeth (b) – *archery*
caiacio – *kayaking*
o'i fath – *of its kind*
bragdy (g) – *brewery*
ro'n nhw eisiau – *they wanted to*
hedfan – *to fly*

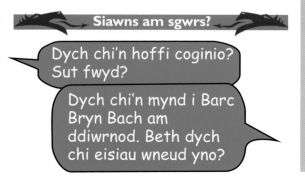

Siawns am sgwrs?

Dych chi'n hoffi coginio? Sut fwyd?

Dych chi'n mynd i Barc Bryn Bach am ddiwrnod. Beth dych chi eisiau wneud yno?

Pobl enwog

Bardd o Rymni oedd Idris Davies. Glöwr oedd e ond ar ôl y Streic *Gyffredinol* yn 1926 roedd e'n *ddi-waith*. Aeth e i'r coleg ac wedyn gweithiodd e fel athro. Roedd Idris Davies yn ysgrifennu llawer yn Saesneg ond hefyd roedd e eisiau ysgrifennu yn Gymraeg. Aeth e i ddosbarth nos. Ysgrifennodd e gerdd gyda'r teitl 'Rhywle yng Nghymru'. Roedd y gerdd yn y *Merthyr Express* ym mis Mai 1927.

> *Crwt* o gartref Cymreig oedd
> A lliw hen Gymru arno,
> Ond eto aeth i'r ysgol nos
> I ddysgu iaith y Cymro!

Roedd Grenville Jones, neu 'Gren', yn dod o Hengoed yn wreiddiol. Bu farw Gren yn 2007. Cartwnydd oedd e. Roedd defaid, capeli a chwaraewyr rygbi yn y cartwnau. Roedd y cartwnau yn y Western Mail a'r South Wales Echo am 30 o flynyddoedd.

Mynd i'r ysgol

Un o Gymry Cymraeg ardal Rhymni yw Siân Griffiths.

" *Dych chi'n dod yn wreiddiol o Gwm Rhymni?*
Ydw. Dw i wedi byw yma erioed.

Ydy Rhymni wedi newid llawer?
Ydy. Roedd llawer o gapeli Cymraeg yn yr ardal, ond nawr dim ond dau sy *ar ôl*. Roedd llawer o Gymraeg yn y capeli ac roedd *cymanfa ganu* bob blwyddyn.

Ble aethoch chi i'r ysgol?
Es i i Ysgol Gymraeg Rhymni ac wedyn i *Ysgol Gyfun* Rhydfelen ym Mhontypridd. *Ro'n i* yn Rhydfelen o 1973 i 1980. Roedd bws llawn yn mynd i'r ysgol o Rymni. Doedd yr A470 ddim ar agor *ar y pryd*. Roedd y daith yn hir, ond doedd dim ysgol gyfun Gymraeg arall.

I ble mae plant yr ardal yn mynd nawr?
Mae llawer o ysgolion *cynradd* Cymraeg yn yr ardal nawr ac hefyd mae dewis o ysgolion cyfun Cymraeg. Aeth fy mhlant i i Ysgol Gyfun Rhydywaun yn Aberdâr ond mae llawer o blant yn mynd i Ysgol Gyfun Cwm Rhymni. "

Siawns am sgwrs?

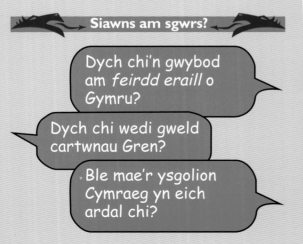

Dych chi'n gwybod am *feirdd eraill* o Gymru?

Dych chi wedi gweld cartwnau Gren?

Ble mae'r ysgolion Cymraeg yn eich ardal chi?

---

cyffredinol – *general*
di-waith – *unemployed/redundant*
crwt (g) – *boy*
ar ôl – *left*
cymanfa ganu (b) – *hymn-singing festival*
ysgol gyfun – *comprehensive school*
ro'n i – *I was*
ar y pryd – *at the time*
cynradd – *primary*

Llancaiach Fawr

Ar bwys pentref Nelson mae Manordy Llancaiach Fawr. Cododd Dafydd ap Richard y tŷ yn 1530. Yn ystod y *Rhyfel Cartref* yn 1642, roedd y teulu Pritchard (ap Richard) yn *cefnogi*'r brenin, Siarl y Cyntaf, a daeth y brenin i ymweld â nhw yn Llancaiach yn 1645. Nawr mae popeth yn y tŷ fel roedd e yn 1645. Mae'r gweithwyr yn gwisgo dillad 1645 ac maen nhw'n actio rhan gweithwyr y tŷ yn 1645. Os dych chi'n mynd i'r tŷ, bydd y gweithwyr yn *esgus ei bod hi*'n 1645!

Mae'r ardd fel gardd y 16G neu'r 17G gyda ffrwythau, llysiau a pherlysiau. Roedd planhigion yn bwysig *ar gyfer persawr*, bwyd a *moddion*.

Oes *ysbrydion* yn y tŷ? Mae rhai pobl wedi clywed *rhywbeth*, rhai wedi gweld rhywbeth, ac mae rhai wedi *gwynto* rhywbeth! Dych chi'n gallu mynd ar daith o gwmpas y tŷ i *geisio* gweld ysbryd.

Mae *bwyty* ar bwys y tŷ, a dych chi'n gallu cael *priodas* yno.

Rhyfel Cartref (g)	– *Civil War*
cefnogi	– *to support*
esgus	– *to pretend*
ei bod hi	– *that it is*
ar gyfer	– *for*
persawr (g)	– *scent*
moddion (g)	– *medicine*
ysbrydion	– *ghosts* (un. ysbryd g)
rhywbeth (g)	– *something*
gwynto	– *to smell*
ceisio	– *to try*
bwyty (g)	– *restaurant*
priodas (b)	– *wedding*
fel hyn	– *like this*

Siawns am sgwrs?

Dych chi'n hoffi pethau hen *fel hyn*?

Dych chi'n credu mewn ysbrydion?

Mae castell mawr iawn yng *nghanol y dre*. Dechreuodd Gilbert de Clare godi'r castell yn 1268. Roedd *caer Rufeinig* yno ac wedyn caer *Normanaidd*. Mae un tŵr yn y castell yn *pwyso drosodd*. *Mae'n bosib* gwnaeth Oliver Cromwell y *niwed* yn ystod y Rhyfel Cartref.

canol y dre	– *town centre*
caer (b)	– *fort*
Rhufeinig	– *Roman*
Normanaidd	– *Norman*
pwyso drosodd	– *leaning over*
mae'n bosib	– *it's possible*
niwed (g)	– *damage*

Ro'n nhw'n arfer gwneud caws Caerffili yn yr ardal. Mae caws Caerffili yn wyn ac mae halen yn y caws. Roedd glowyr yn *chwysu* llawer yn y gwaith. Roedd angen halen arnyn nhw ar ôl chwysu. Ro'n nhw'n arfer bwyta caws Caerffili i gael yr halen.

Dych chi'n cofio Tommy Cooper? *Consuriwr a digrifwr* oedd e. Roedd e'n enwog am ddau beth: roedd e'n gwisgo *fez* ac roedd e'n gwneud triciau – ond doedd y triciau ddim yn gweithio! Roedd Tommy yn dod o Stryd Llwyn Onn, Caerffili, yn wreiddiol. Mae plac ar y tŷ. Bu farw Tommy yn 1984. Nawr mae cerflun o Tommy yn gwisgo *fez* yng nghanol Caerffili. Daeth yr actor enwog Syr Anthony Hopkins i seremoni *dadorchuddio'r* cerflun yn 2008.

Siawns am sgwrs?

Pa gaws dych chi'n hoffi?

Beth dych chi'n feddwl o Tommy Cooper?

Dych chi wedi gweld ffilmiau Syr Anthony Hopkins?

ro'n nhw'n arfer – *they used to*
chwysu – *to sweat*
consuriwr (g) – *conjurer*
digrifwr (g) – *comedian*
dadorchuddio – *to unveil*

Gweithgareddau haf

Yn ystod yr haf mae llawer o bethau i'w gwneud yn yr ardal:

Mae *Gŵyl* yng Nghaerffili ar benwythnos olaf mis Gorffennaf. Enw'r ŵyl yw 'Y Caws Mawr'. Mae ffair, cerddoriaeth, tân gwyllt a rasus caws.

Mae tua 10,000 o bobl yn mynd i Sioe Bedwellte ar bwys y *Coed Duon* bob blwyddyn. Yn y sioe mae ceffylau, *gwartheg*, defaid, moch, cŵn, *geifr*, cwningod, *planhigion*, crefftau, *stondinau* bwyd a ffair.

Ddiwedd yr haf mae Gŵyl y Balwnau Mawr ar faes Sioe y Coed Duon. Ewch i weld balwnau *o bob lliw a llun*, gyda ffair, cerddoriaeth a bwyd hefyd.

gŵyl – *festival*
Coed Duon – *Blackwood*
gwartheg – *cattle*
geifr – *goats* (un. gafr b)
planhigion – *plants* (un. planhigyn g)
stondinau – *stalls* (un. stondin g/b)
o bob lliw a llun (idiom) – *of all shapes and sizes*

Mae Menter Caerffili yn trefnu llawer o weithgareddau i siaradwyr a dysgwyr y Gymraeg. Mae saith *swyddog* yn gweithio i'r Fenter a llawer o *wirfoddolwyr*.

Mae Helen Williams yn gweithio i Fenter Caerffili ers Mehefin 2003.

❝ *Pryd dechreuodd y Fenter?*
Dechreuodd y Fenter yn 1999.

Beth dych chi'n wneud o ddydd i ddydd?
Dw i'n trefnu gweithgareddau ar gyfer dysgwyr, siaradwyr Cymraeg a theuluoedd drwy'r Sir i gyd.

Beth dych chi'n hoffi am y gwaith?
Yr *amrywiaeth*. Dw i'n cwrdd ag amrywiaeth o bobl – Cymry Cymraeg o bob rhan o Gymru, dysgwyr, *disgyblion* yr ysgolion Cymraeg, pob math o bobl. Hefyd mae amrywiaeth yn y gweithgareddau. Mae pob dydd yn wahanol.

Beth mae'r Fenter yn wneud?
Gwaith y Fenter yw:
• *datblygu*'r Gymraeg yn ardal Caerffili
• helpu pobl i ddefnyddio'r Gymraeg yn y *gymuned*
• helpu busnesau i ddefnyddio'r Gymraeg

• gweithio gyda phartneriaid i *sicrhau* dyfodol i'r Gymraeg.

Er enghraifft, dyn ni'n trefnu:
• clybiau cyn ac ar ôl ysgol
• clybiau gwyliau ysgol
• *digwyddiadau* cymdeithasol i oedolion
• gweithgareddau i bobl ifanc
• *cyfieithu*.

Beth fydd y Fenter yn wneud yn y dyfodol?
Dyn ni'n trefnu gweithgareddau newydd *drwy'r amser*. Dyn ni wedi dechrau sesiynau ioga yn Gymraeg a *rygbi cyffwrdd cymysg* i oedolion. Prosiect newydd arall yw *straeon digidol*: straeon am ddigwyddiad neu brofiad neu hobi. ❞

swyddog (g) – *officer*	digwyddiadau – *events* (un. digwyddiad g)
gwirfoddolwyr – *volunteers* (un. gwirfoddolwr g)	cyfieithu – *to translate*
amrywiaeth (b) – *variety*	drwy'r amser – *all the time*
disgyblion – *pupils* (un. disgybl g)	rygbi cyffwrdd (g) – *touch rugby*
datblygu – *to develop*	cymysg – *mixed*
cymuned (b) – *community*	straeon / storïau – *stories* (un stori b)
sicrhau – *to ensure*	digidol – *digital*

Papurau Bro

Mae llawer o bapurau bro yn y cymoedd, yn cynnwys:

- *Y Gloran*, Rhondda Fawr
- *Clochdar*, Cwm Cynon
- *Cylch*, Merthyr Tudful
- *Y Mandral*, Rhondda
- *Tafod Elái*, Cwm Elái ac ardal Pontypridd
- *Newyddion Gwent*, Gwent a Sir Caerffili
- *Tua'r Goleuni*, Cwm Rhymni a thre Caerffili.

Ers Mai 1998, *golygydd* Tua'r Goleuni yw Denzil John. Atebodd e gwestiynau am yr ardal a'r papur bro.

" **Ers pryd dych chi'n byw yn yr ardal?**
Ers 1972.

Sut mae'r ardal wedi newid ers 1972?
Mae llawer mwy o bobl yn byw yn yr ardal. Mae llawer mwy o ysgolion Cymraeg a dosbarthiadau i'r dysgwyr.
Mae mwy o gyfarfodydd yn Gymraeg ers i'r Fenter Iaith ddechrau.
Mae llai o *aelodau* yn y capeli Cymraeg – fel yn y rhai Saesneg.

Pryd dechreuodd y papur?
Mai 1998 – roedd Eisteddfod yr Urdd yn y cwm.

Sut mae'n cael ei ddosbarthu?
Drwy law, neu drwy'r post.

Pwy sy'n gweithio ar y papur?
Fi yw'r golygydd. Mae llawer o bobl yn ysgrifennu *erthyglau* ac yn dosbarthu'r papur. Gwirfoddolwyr ydyn ni i gyd.

Beth sy yn y papur?
- Newyddion yr ysgolion, yr Urdd a'r capeli
- *genedigaethau*, priodasau a *marwolaethau*
- newyddion lleol arall
- cystadlaethau. "

---

golygydd (g) – *editor*
aelodau – *members* (un. aelod g)
dosbarthu – *to distribute*
drwy law – *by hand*
erthyglau – *articles* (un. erthygl b)
genedigaethau – *births* (un. genedigaeth b)
marwolaethau – *deaths* (un. marwolaeth b)

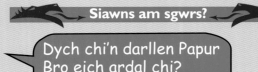
Siawns am sgwrs?

Dych chi'n darllen Papur Bro eich ardal chi?

Beth dych chi wedi ddysgu am y cymoedd?

Ar ôl darllen y llyfr, dych chi eisiau ymweld â rhyw le? Pam?